KÁRPÁTALJA

ÉLŐ, SZÉP HAGYOMÁNY

SZACSVAY IMRE–SZACSVAY PÉTER–LEGEZA LÁSZLÓ

KÁRPÁTALJA

OFFICINA NOVA

A felvételeket készítette, a szöveget írta és a kötetet
tervezte: Szacsvay Imre, Szacsvay Péter és Legeza László
Az utolsó felvételek 1990. júliusában készültek
Az előszót dr. Ortutay Elemér írta
Lektorálta: dr. Bellon Tibor és dr. Ortutay Elemér

Kiadta az Officina Nova, Budapest
Felelős kiadó: Bede István vezérigazgató
Felelős szerkesztő: Székely András
Készült a Kossuth Nyomdában – 90.1105
Felelős vezető: Bede István vezérigazgató
ISBN 963 7836 012

Ez a könyv, melyet a kezedben tartasz kedves Olvasó, nem útikönyv, sem Kárpátalja néprajzi, természetrajzi vagy gazdasági feltérképezése. A szerzők egyszerűen útnak indultak az „élő szép hagyományok" felkutatására, gyönyörködtek a táj szépségében, nyitott szemmel, nyitott füllel jártak, érdeklődtek és elbeszélgettek az itt élőkkel, és mindezek közben fényképeztek.

Milyen is a szülőföldem, Kárpátalja? Természeti szépsége minden kor minden emberét elkápráztatta. E tájnak, az Erdős-Kárpátoknak sajátossága, hogy a legmagasabb csúcsai nem hirtelen emelkednek a lapály fölé, mint a Tátra sziklái, hanem fokozatosan, lépcsőzetesen magasodnak. Így szinte dombról dombra hágva jutunk el a hegygerinc szurdokkal, meredek falakkal, tágas völgyekkel, rohanó kis patakokkal, hegyi tavakkal tarkálló és mindenütt dolgos emberkéz nyomát viselő tájaira. A vízválasztó, havas hegygerinc alatt sziklákból fakadó bővizű forrásokból patakok milliói indulnak sebes folyású, helyenként vízesésekben alázuhanó útjukra, hogy a völgyekben kisebb folyókká egyesülve táplálják a kanyargó Tiszát. Minden patak, minden völgy különbözik egymástól, és talán ez okozza, hogy együttesen még elbűvölőbb képet nyújtanak, példát állítva az emberek elé, hogy az egész szépségét a részek különbözőségének harmóniája adja.

Kárpátaljának igen gazdag a természetvilága. Az alföldet üde rétek, szántóföldek, gyümölcsösök, szőlők és kisebb erdők tarkítják. A Kárpátok lankás lejtőit zöld legelők, ligetes erdők borítják. A magasabb hegyek legfőbb ékessége és kincse a bükk és a tűlevelű erdő. Mint mesebeli óriások, úgy állnak ott a 40 m magasságot is elérő fák. A havasokat rétek tarkítják. Festőien szép látvány, amikor virágzik a harangvirág, nárcisz, havasszépe, tárnics és árnika. Érdekes és változatos a terület állatvilága is. A hegyekben megtalálható a szarvas, az őz, a vaddisznó, a barnamedve, farkas, róka, hiúz, szirti sas és számos kisebb ragadozó. Több mint kétszáz fajta madár él e tájon. A folyók és patakok legértékesebb lakói a lazacfélék: a pisztráng, a pénzes pér és a dunai lazac. A föld mélyében több mint 60 különféle ásványi kincset tártak fel. Máramarosban található Európa egyik leggazdagabb sólelőhelye. Előfordul itt vas, barnaszén, kaolin, higany és márvány is, de gazdasági jelentősége a Kárpátalján elsősorban a sóbányászatnak és a fakitermelésnek van.

Kárpátalja szépségeiről, kincseiről az elmúlt évtizedekben is sokszor és sokan írtak, hiszen ez mindig magával ragadja az itt élőket és az erre járókat. De milyenek az emberek, akiknek szülőföldjük e táj? Asztaluk gazdagon van-e terítve? Ételük és a jövőjük a forgandó szerencsétől függ-e, vagy ők maguk szerencséjük kovácsai? Van-e a földnek múltja, történelme? Mit mondanak nekünk, mit üzennek fiainknak Ungvár és Munkács várai, a nevickei, szerednyei, huszti romvárak omladozó falai, kövei? Milyen népek, milyen emberek lakják a vidéket? Törzsi, nemzetiségi, vallási viszályokról tesz-e említést a történelem? Vagy pedig béke, megértés uralkodik az itt élő emberek szívében? Volt-e itt népfelkelés, szabadságharc a belső vagy idegen elnyomók ellen? Érkeztek-e ide más földről hódító vagy rabló hadseregek?

Annyi kérdés és mind feleletre vár. Igaz, e kérdésekre többször igyekeztek választ adni, először a csehszlovák éra tudósai, politikusai, majd a Horthy-korszak írói, nyelvészei, később a szovjet történészek, írók. Sokszor vitatkoztak az itt élő népek eredetéről és hovatartozásáról. Vitatkozás helyett inkább tanúsítom, hogy mi Kárpátalja szülöttei és lakói: magyarok, ruszinok, szlovákok, románok, svábok és zsidók egyformán szerettük és szeretjük szülőföldünket. Itt akarunk élni békében, szeretetben, szabadságban, kölcsönös megértésben a föld minden lakójával, akármilyen nyelven beszél és akármilyen vallásfelekezethez tartozik.

De sajnos ez nem volt mindig így. Ezt bizonyítja a legújabb kor története. A sztálini éra a letartóztatások, kitelepítések korszaka volt. A magyarokat elhurcolták 1944 őszén, mert magyarok voltak. A velünk szimpatizáló ruszinokat sem kímélték. Bennünket, görög katolikus papokat is lágerbe vittek, függetlenül a nemzetiségi hovatartozásunktól. 130-an voltunk, akik nem hagytuk el katolikus egyházunkat. De 20 református és 19 római katolikus papot is börtönre, kényszermunkára ítéltek magyarságuk miatt. Még a munkácsi főrabbit is bebörtönözték, mert magyar érzésű volt.

E szép, vadregényes vidék értéke nemcsak az őszi táj szépsége és a műemlékek, a jelene is figyelmeztet: itt hősök és vértanúk is éltek és élnek. Felettünk sokszor nem ragyogott az ég kék fénye. Tudjuk jól, hogy az ember árnyéka sokszor nagyobb, mint az árnyékot adó. De azt is tudjuk, hogy árnyék csak ott van, ahol napfény is van. Mindez természetes, csupán akkor van baj, ha az árnyék elfedi az igazat, a szépet és a jót. Az életnek törvénye, hogy ahol öröm van, ott bánat is van. A boldogság és a szenvedés ikertestvérek. A világosságot sötétség váltja fel és fordítva. A szép és a csúnya, a jó és a rossz, a fiatalság és öregség, az egészség és betegség, ez mind elválaszthatatlan. Sokszor előfordult már életünkben, hogy éj borult e tájra, de mindig rendületlenül hittünk abban, hogy verőfényes napra ébred majd a világ.

Most szegény ez a vidék, az üzletekben üresek a polcok és a fiatalok számára nem ígér sok jót a jövő. Sajnos, sokan elhagyják a szülőföldjüket. A fiatalok kiábrándultak az iskolában tanult eszméből. Balla D. Károly, fiatal költőnk írja: „azt hitted, te vagy szerencséd kovácsa... de mit tesz, kinek nincsen kalapácsa?" Ugyancsak az ő szavaival kifejezve „sorsomhoz szegezve élek itt", de nem tehetetlen bábként. Emberként élek, tele hittel és reménnyel, mennydörgés-villanás közepette is, mert hiszem és vallom, hogy a „viharra csend jön egyszer: fény az égen".

Szemedi János görög katolikus püspökünk címere azt a bibliai jelenetet ábrázolja, mikor a háborgó tengeren ott hányódik a csónak, benne a kétségbeesett tanítványok. A csónakban áll Jézus, és kitárt karokkal így szól hozzájuk: „Ne féljetek! Én veletek vagyok."

Az új tavaszt nem csak várni kell. Mint ahogy a jó gazda felkészül a tavaszi munkára, úgy ez a feladatunk nekünk is. Át kell néznünk, át kell tanulmányoznunk a munkát, melyet apáink, nagyapáink elvégeztek. A jót, értékeset át kell venni, a hibákat felismerni, és vigyázni, hogy azok meg ne ismétlődjenek. Őseinktől örököltük ezt a földet. Itt kell élnünk és dolgoznunk, hogy gyermekeinknek, unokáinknak biztosítsuk a jövőt.

A jó gazda ismeri házát, földjét, szerszámait. Ismernünk kell és meg kell ismertetnünk másokkal mindazt, ami kapcsolatban van a mi otthonunkkal, szülőföldünkkel. Ehhez, kedves Olvasó, segítséget fog nyújtani e könyv. Gyönyörködni fogsz a táj szépségében, megismered Kárpátalja múltját és jelenét, földrajzát és az itt élő népek szokásait. Figyelmesen olvasva egyúttal bátorítást is meríthetsz belőle: nem vagy tehetetlen báb és hulló falevél, melyet az élet tetszés szerint sodor ide-oda. Ember vagy. Isten teremtett, aki nemcsak teremtő Atyád, de irányítója, kovácsa is az életednek, a gyermekeid, unokáid, néped és nemzeted életének.

E könyv készítését Szacsvay Imre fotóművész kezdte el. Sajnos, halála miatt nem fejezhette be, a stafétabotot fiának és barátjának adta át. A könyv elkészült, és mi, kárpátaljaiak köszönjük. Köszönjük a szerzőknek, a kiadó és a nyomda dolgozóinak, hogy szülőföldünk jobb megismerésében és megismertetésében segítségünkre voltak.

Ungvár, 1990. július 26.

Dr. Ortutay Elemér

HELYSÉGNÉV-AZONOSÍTÓ

MAGYAR	UKRÁN	OROSZ
Akli	Клинове	Клиновое
Aknaszlatina	Солотвино	Солотвина
Alsóapsa	Діброва	Диброва
Alsókalocsa	Колочава	Колочава
Alsóremete	Нижні Ремети	Нижние Реметы
Alsóverecke	Нижні Ворота	Нижние Ворота
Badaló	Бодолів	Бодолов
Bábakút	Бабичі	Бабичи
Bene	Добросілля	Доброселье
Beregardó	Берегове	Берегово
Beregdéda	Дідово	Дедово
Beregszász	Берегове	Берегово
Csap	Чоп	Чоп
Csendes	Тихий	Тищёв
Csepe	Чепа	Чепа
Csetfalva	Четове	Четово
Darva	Колодне	Колодное
Dolha	Долге	Долгое
Farkasfalva	Вовчанське	Вовчанское
Feketeardó	Чорнотисів	Чёрнотисов
Felsőbisztra	Верх. Бистрий	Верх. Быстрый
Felsőkalocsa	Негровец	Негровец
Gerény	Ужгород	Ужгород
Huszt	Хуст	Хуст
Husztsófalva	Данилово	Данилово
Királyháza	Королеве	Королево
Kígyós	Зміївка	Змиевка
Kisberezna	Мал. Березний	Мал. Березный
Kismuzsaly	Мужиево	Мужиево
Kovászó	Квасове	Квасово
Kőrösmező	Ясиня	Ясиня
Kricsfalva	Кричово	Кричево
Lipcsemező	Липецька-Поляна	Липецкая-Поляна
Lóka	Лохово	Лохово
Majdánka	Майдан	Майдан
Mezőhát	Лазещина	Лазещина
Mezőkaszony	Косино	Косины
Mihálka	Крайниково	Крайниково
Munkács	Мукачеве	Мукачево
Nagybereg	Береги	Береги
Nagyberezna	Вел. Березний	Вел. Березный
Nagybégány	Вел. Бігань	Вел. Бегань
Nagybocskó	Вел. Бичків	Вел. Бычков
Nagykomját	Вел. Комяти	Вел. Комяты
Nagymuzsaly	Мужиево	Мужиево
Nagypalád	Вел. Паладь	Вел. Паладь
Nagyszőlős	Виноградів	Виноградов
Nevetlenfalu	Дякове	Дяково
Nevicke	Невицьке	Невицкое
Ókemence	Камяниця	Каменица
Ökörmező	Міжгіря	Межгорье
Ötvösfalva	Золотарево	Золотарево
Padobóc	Подобовец	Подобовец
Palágykomoróc	Комарівці	Комаровцы
Péterfalva	Петрове	Петрово
Podhering	Мукачеве	Мукачево
Rahó	Рахів	Рахов
Repenye	Репинне	Репинное
Saján	Шаян	Шаян
Salánk	Шаланкі	Шаланки
Sóslak	Сіль	Соль
Száldobos	Стеблівка	Стеблевка
Szászfalu	Сасово	Сасово
Szeklence	Сокирниця	Сокирница
Szentmihálykörtvélyes	Грушово	Грушевое
Szentmiklós	Чинадієво	Чинадиево
Szerednye	Середне	Среднее
Szuhabaranka	Суха-Бронька	Бронька
Szürte	Струмківка	Струмковка
Terebesfejérpatak	Ділове	Деловое
Técső	Тячів	Тячев
Tiszaborkút	Кваси	Квасы
Tiszabökény	Бобове	Бобовое
Tiszaújhely	Нове Село	Новое Село
Tiszaújlak	Вилок	Вилок
Tivadar	Федорове	Федорово
Toronya	Торунь	Торунь
Uglya	Угля	Угля
Ungvár	Ужгород	Ужгород
Uzsok	Ужок	Ужок
Vári	Вари	Вары
Verbőc	Вербовець	Вербовец
Visk	Вишкове	Вишково
Vulsana	Вильшани	Ольшаны

OROSZ	UKRÁN	MAGYAR
Бабичи	Бабичі	Bábakút
Береги	Береги	Nagybereg
Берегово	Берегове	Beregardó, Beregszász
Бобовое	Бобове	Tiszabökény
Бодолов	Бодолів	Badaló
Бронька	Суха-Бронька	Szuhabaranka
Вары	Вари	Vári
Вел. Бегань	Вел. Біигань	Nagybégány
Вел. Березный	Вел. Березний	Nagyberezna
Вел. Бычков	Вел. Бичків	Nagybocskó
Вел. Комяты	Вел. Комяти	Nagykomját
Вел. Паладь	Вел. Паладь	Nagypaládm
Вербовец	Вербовець	Verbőc
Верх. Быстрый	Верх. Бистрий	Felsőbisztra
Вилок	Вилок	Tiszaújlak
Виноградов	Виноградів	Nagyszőlős
Вовчанское	Вовчанське	Farkasfalva
Вышково	Вишкове	Visk
Грушевое	Грушово	Szentmihálykörtvélyes
Данилово	Данилово	Husztsófalva
Дедово	Дідово	Beregdéda
Деловое	Ділове	Terebesfejérpatak
Диброва	Діброва	Alsóapsa
Доброселье	Добросілля	Bene
Долгое	Долге	Dolha
Дяково	Дякове	Nevetlenfalu
Змиевка	Зміївка	Kígyós
Золотарево	Золотарево	Ötvösfalva
Каменица	Камяниця	Ókemence
Квасово	Квасове	Kovászó
Квасы	Кваси	Tiszaborkút
Клиновое	Клинове	Akli
Колодное	Колодне	Darva
Колочава	Колочава	Alsókalocsa
Комаровцы	Комарівці	Palágykomoróc
Королево	Королеве	Királyháza
Косины	Косино	Mezőkaszony
Крайниково	Крайниково	Mihálka
Кричево	Кричово	Kricsfalva
Лазещина	Лазещина	Mezőhát
Липецкая-Поляна	Липецька-Поляна	Lipcsemező
Лохово	Лохово	Lóka
Майдан	Майдан	Majdánka
Мал. Березный	Мал. Березний	Kisberezna
Межгорье	Міжгіря	Ökörmező
Мукачево	Мукачеве	Munkács, Podhering
Мужиево	Мужіеве	Kismuzsaly, Nagymuzsaly
Невицкое	Невицьке	Nevicke
Негровец	Негровец	Felsőkalocsa
Нижние Ворота	Нижні Ворота	Alsóverecke
Нижние Реметы	Нижні Ремети	Alsóremete
Новое Село	Нове Село	Tiszaújhely
Ольшаны	Вильшани	Vulsana
Петрово	Петрове	Péterfalva
Подобовец	Подобовец	Padobóc
Рахов	Рахів	Rahó
Репинное	Репинне	Repenye
Сасово	Сасове	Szászfalu
Сокирница	Сокирниця	Szeklence
Солотвина	Солотвино	Aknaszlatina
Соль	Сіль	Sóslak
Среднее	Середне	Szerednye
Стеблевка	Стеблівка	Száldobos
Струмковка	Струмківка	Szürte
Тищёв	Тихий	Csendes
Торунь	Торунь	Toronya
Тячев	Тячів	Técső
Угля	Угля	Uglya
Ужгород	Ужгород	Ungvár, Gerény
Ужок	Ужок	Uzsok
Федорово	Федорове	Tivadar
Хуст	Хуст	Huszt
Чепа	Чепа	Csepe
Четово	Четове	Csetfalva
Чёрнотисов	Чорнотисів	Feketeardó
Чинадиево	Чинадієво	Szentmiklós
Чоп	Чоп	Csap
Шаланки	Шаланкі	Salánk
Шаян	Шаян	Saján
Ясиня	Ясиня	Kőrösmező

A Kárpátok hegyvidék neve indoeurópai eredetű. A Kárpátalja kifejezés először 1889-ben bukkan fel egy munkácsi lap címeként. Az elmúlt hetven év gyakori határmódosításai szükségessé tették, hogy a Kárpátok keleti területének egy részét elhatárolt egységként kezelve nevezzék el. Így kapta e vidék a Kárpátalja nevet. Határai északon és északkeleten a Kárpátok gerince, nyugaton a Csap–Ungvár közti vonal, illetve ennek meghosszabbítása, délnyugaton Csaptól Tiszaújlakig a Tisza, délen szeszélyes kanyarulatokkal az Avas-hegység és a máramarosi Tisza-völgy, keleten a Máramarosi-havasok.

Kárpátalja határai mesterségesek, földrajzi vagy etnikai okok helyett politikai és gazdasági szempontok

9

szerint alakították ki azokat. Területe 12 650 négyzetkilométer, Magyarország területének hetedrésze és a Szovjetunió területének 0,056%-a. A vidék négyötöde hegység és csak egyötöde síkság. A lakosság megoszlására a legutóbbi megbízható népszámlálási adat 1910-ből származik. E szerint Kárpátalján az első világháború előtt 336 045 (56,16%) rutén, 174 501 (29,16%) magyar, 64 004 (10,70%) német, 7731 (1,29%) szlovák és 16 064 (2,69%) egyéb nemzetiségű élt. A mai adatok szerint több mint 1 millióan élnek itt, ami nyilvánvalóan a magyarok arányának csökkenését is jelenti. A nép vallások szerinti megoszlása az 1930-as felmérés szerint a következő: görög katolikus 50%, pravoszláv 15%, zsidó 14%, római katolikus 10%, református 10% és egyéb vallású 1%.

A kristálytiszta forrásokban gazdag Kárpátok a Tiszát táplálja. A nagyobb folyók északkelet délnyugati irányúak, mint ahogy a Tisza is ilyen irányban kezdi útját. Sorban haladva ezek: Ung, Latorca, Borzsa, Nagyág, Talabor, Tarac és a Tisza.

8

A környék ősidők óta lakott. Az ókorban a kárpáti népek elődei, az avarok földvárat építettek az Ung és Laborc torkolatánál, Deregnyő határában. Castrum Ungh néven említi Luitprand cremonai püspök. Ezen „ősungvárt" foglalták el Álmos hadai 903-ban. A tatárjárásig ispánság székhelye volt. A tatárjárás idején elpusztult, az új várat kőből építtette IV. Béla Gerényben. Az egykori vártemplom ma is áll. **19, 20, 21** Hatszögletű apszisa **22, 23** tiszta bizánci stílusú, fedett kupolával. Falait páratlan értékű freskókkal díszítették a XIV–XV. században itáliai művészek.

22

23

A gerényi vár a XIV. század elején pusztult el főúri torzsalkodások következtében. A romos várat a rozgonyi csatában kitűnt, francia származású Drugeth Fülöp nápolyi grófnak adományozta Károly Róbert 1312-ben. Ő rövid idő alatt felépíttette mai helyére Ungvár várát. **24**

A Drugeth család 360 évig birtokolta a vidéket. Kórházakat, iskolákat, kollégiumokat alapítottak. A család telepítette Ungvárra a pálosokat. A pálos rendet, mely az egyetlen magyar alapítású szerzetesrend, 1263-ban Özséb esztergomi kanonok hozta létre Remete Szent Pál tiszteletére. A Drugethek korán reformáltak, de 1610-ben Pázmány Péter hatására visszatértek a katolikus hitre, és Ungvárra telepítették a jezsuitákat. 1646-ban ők ismertették meg az itt élő bizánci szertartású keresztényekkel a megújult katolikus egyházat, melynek eredményeként 1646. április 24-én a várkápolnában létrejött az unió. Megalakult a magyar és rutén görög katolikus egyház, amelyhez minden Kárpátalján élő görög szertartású hívő rövid időn belül csatlakozott. A Drugeth család utolsó tagját Thököly Imre 1684-ben lefejeztette. Ekkor a várost is pusztították Thököly tatár és lengyel fegyveresei.

A következő tulajdonos, a kezdetben Habsburg-párti Bercsényi Miklós gróf a várat megerősíttette, fényűző palotává alakíttatta. Sokat vadászott együtt II. Rákóczi Ferenccel, Munkács úrnőjének, Zrínyi Ilonának a fiával. Később a Habsburg-ellenes emigráció tagjaiként találkoztak Lengyelországban. 1707-ben Rákóczi egy évig innen irányította a szabadságharcot. Munkács után e vár volt hozzá a leghűségesebb. A várat 1774-ben Mária Terézia a munkácsi görög katolikus egyházmegyének adományozta, mely azután 1944-ig otthont adott a papnevelő intézetnek. A jezsuita rendház épülete lett a püspökség, az eredetileg barokk jezsuita templom pedig a püspöki székesegyház, melyet később klasszicista stílusban átépítettek. **28, 29, 30, 31, 32**

A múlt század második felében indult újra fejlődésnek a város. Legkiemelkedőbb részén áll a vár, melynek árokkal övezett falairól **25** pompás kilátás nyílik a környező településre és tájra. A várba felvonóhídon keresztül lehet bejutni **26**, s onnan a belső udvarra. **27** Közvetlenül a vár mellett sok tájegységet bemutató, színpompás szabadtéri néprajzi múzeum áll.

Kárpátalja hágói révén népek találkozóhelye, ahol békés időkben kereskedelem folyt, de gyakran volt rablóhadjáratok, vallási csatározások színtere is. Rutének, magyarok, románok, szászok, zsidók és (főleg 1920 után) szlovákok lakóhelye e vidék. **33, 34, 35**

A rutén nép eredetileg Volhíniában, Galíciában élt. Egy részük már a XIII. század közepén megjelent a Keleti-Kárpátokban, de jóval nagyobb tömegben Koriatovics Tódor podóliai herceg vezetésével jöttek be a XIV. század második felében. Az utolsó, 1717. évi tatár támadás után ismét nagyszámú rutén népcsoport települt le, elsősorban a síkvidék elhurcolt magyarjainak helyére. Hét évszázada élnek közös hazában a magyarsággal, szeretetben és békességben. Ők voltak Rákóczi leghűségesebb népe, a „fidelissima gens". Közülük kerültek ki a nagy fejedelem testőrei. Ezután vesztették el kiváltságaikat, a bécsi udvar megtorló intézkedései következtében. 1848-ban is együtt küzdöttek a magyarokkal a szabadságért.

A nép középkori megnevezéséből, a latin ruthenicus szóból ered a magyar rutén elnevezés. Bár az elmúlt hetven év alatt elsősorban a ruszin népnév terjedt el a Kárpátalján, a továbbiakban a régebbi és a magyar nyelvben ma is használatos rutén elnevezést fogjuk alkalmazni.

A rutének nyelvében a szomszédságukban élő népek hatására négy nyelvjárás alakult ki. A dolinyákok vagy dolisnyákok az alföldön, Nagyszőlős és Királyháza környékén élnek. Nevük a dolina (alföld) szóból alakult ki. A bojkok harcos népcsoport, a nevük is a boj (harcos) szóból származik. A hegyvidéken élnek. A pásztorkodás mellett fő tevékenységük a fakitermelés és az ezzel járó tutajozás. Munka közben gyakran biztatják egymást elnyújtott „hú-szú" kiáltásokkal, innen ragadt rájuk a hucul név. A lemkik vagy lemákok Munkács környékén élő rutének. Elnevezésük a lem (csak) szóból ered, melyet állandóan ismételgetnek, függetlenül attól, hogy szükséges-e vagy sem. A lesákok Dolha és Huszt környékén élnek. Rájuk a les (szintén) szó gyakori ismétlése miatt ragadt a lesák név. **36, 37, 38**

34

35

36

37

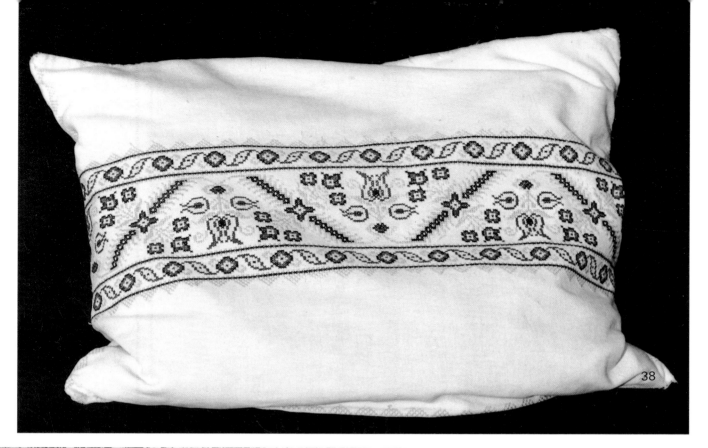

A rutének fő tevékenysége a juhtenyésztés. A juhok fejése napjainkig élő gyakorlat. A juhtejet maguk dolgozzák fel, túrót és sajtot készítenek belőle. Egész éven át fontos táplálékuk, és piacra is sokat visznek belőle. Ezért a telephelyük nem volt túl messze a lakott területektől. Ez az életmód a sajtérlelés és túrókészítés mesterévé tette őket. A falvakban önálló gazdálkodást folytattak. Az ehhez szükséges eszközöket és szerszámokat maguk készítették el, így nem alakult ki köztük önálló kézműves iparág. Lovat csak kivételes esetben tartottak, ugyanis a rutének szerint csak ott van sok ló, ahol olyan szegények az emberek, hogy nem telik ökörre. Tyúkot azért nem tartottak, mert szerintük a tyúk többet eszik, mint amennyi hasznot hajt. Házaikat jellemző módon az udvar közepére, a településeken szétszórva építették, ezért általában utca nem alakult ki. Boronagerendás házaikat szalmával fedték. **39, 40, 41, 42, 43**

42

43

Ungvár régi vármegyeházának csak a kapuja áll már. **47** Az új vármegyeháza **46** kicsit távolabb, egy dombon épült fel. A városközpontban áll a római katolikus templom **45,** az Ung partján pedig az egykori zsinagóga. **44**

47

48

Ungvár és Munkács között félúton, egy völgy bejáratánál, teljesen sík területen fekszik a szerednyei várrom. A középkori erődítések klasszikus példája, mely egyetlen toronyból és az azt körülvevő négyzet alaprajzú két széles vizesárokból áll. A hagyomány szerint a templomos lovagrend építtette a XIII. században, és a kuruc szabadságharc alatt rombolták le. **48, 49**

Az Uzsokinál sokkal tágasabb a Vereckei-hágó, mely évszázadokon keresztül volt hazánk keleti főkapuja. **50, 51** III. Béla király névtelen jegyzője, Anonymus szerint honfoglaló őseink a Vereckei-hágón és a Latorca völgyén jöttek be az országba 889-ben. E stratégiai útvonal mellett fekszik csendesen Csendes rutén falu. **52, 54**

Alsóvereckénél a Latorca völgye kiszélesedik, rendkívül alkalmassá téve a vidéket nagyobb néptömegek átvezetésére. Az emberben önkéntelenül felelevenedik Feszty Árpád körképe, ahogyan itt vonultak őseink nehézkes szekereikkel, lovas fegyveresek oltalma alatt. **53**

A Latorca mentén továbbhaladva a völgy összeszűkül és festői képet nyújtva kanyarog Munkács felé. **55, 56** E vidéken található a legtöbb ásványvízforrás, messze földön ismertek a völgy fürdőhelyei. Szomorú nevezetesség az 1944–55-ig fennálló egykori szolyvai magyar gyűjtőtábor, melynek „hírneve" vetekszik a legnagyobb fasiszta haláltáborokéval. A völgy Szentmiklós előtt kiszélesedik. **57** Itt találtunk egy szép fatemplomot **60,** mely után, félreeső völgyben bújik meg öreg házaival Bábakút, a jellegzetes rutén kisközség. **61, 62**

50

52

53

54

56

57

A galíciai országút mentén, Munkácshoz közel fekszik Szentmiklós, Árpád-kori település. Első írásos említésének éve 1214, amikor Bánk bán rokonáról a királyra száll a birtok. Nyolcszögletű sarokbástyás kastélyát 1585-ben Telegdi Mihály építtette. **58, 59** 1666-ban összeesküvő társaival, Nádasdi Ferenccel, Frangepán Ferenccel és Zrínyi Péterrel ellentétben I. Rákóczi Ferencnek megkegyelmezett a császár, aki ezután e kastélyba vonult vissza. Fia, II. Rákóczi Ferenc többször itt időzött, e falak között töltötte utolsó éjszakáját is Magyarországon.

58

64

65

67

Munkácshoz közel, a Latorca kettős kanyarulatában híd köti össze a két partot. Azelőtt itt Podhering falunak önálló vámszedési joga volt. Ma már Munkáccsal összeépült. Vashídját 1785-ben építették, melyet 1850 körül néhány méterrel odébb tettek a mai helyére. A régi hídfő maradványai ma is látszanak. Közvetlen mellettük, a hegy lábánál álló, közelmúltban felújított emlékmű felirata: „Az 1849-évi április hó 22-ik napján Magyarország állami függetlenségéért e helyen vívott győzelmes ütközet emlékére emelte a hazafias kegyelet 1901-ben." A báró Barco császári tábornok ellen vívott ütközetet elsősorban a pontos tűzvezetéssel nyerte meg Munkács népe. **64**

Anonymus szerint honfoglaló őseink Munkács mellett 40 napig megpihentek. Táltosuk az első napon a magányos hegyen, Álmos fejedelem pedig a Csernekhegyen ütötte fel a sátrát. Másnap a fejedelem észrevette, hogy a magányos hegy tetejéről sűrű füstfellegek szállnak fel. Attól tartott, hogy ellenséges csapatok őrtüzét látja, de csakhamar értesült arról, hogy a főpap mutat be hálaáldozatot ott. Maga is odament, és úgy megtetszett neki az a hely, hogy várat építtetett oda, a táltost pedig a Csernekhegyre költöztette. A várat Munkásnak, vagyis Munkácsnak nevezték el, mivel építése nagy munkával járt. Az is lehet, hogy a név a Vereckei-szoroson történő átkelés vesződségeire, kínjaira utal. A vár a Latorca partján a síkságból magányosan kiemelkedő, 90 m magas, hosszúkás kúphegy tetején áll. **63** Ma is büszkén uralja a Vereckei-szoros kijáratát. **66**

68

Munkácsot először 1064-ben említik, amikor Salamon király több megyével együtt Munkácsot is Géza hercegnek adta kárpótlásul a koronáért. Később Salamon – visegrádi fogságából kiszabadulva – a kunokat hívta segítségül királysága visszaszerzésére, akik roppant sereggel Ungvárig mindent elpusztítottak. Munkácsot is felégették, mígnem László király vissza nem szorította őket. Ezt követően 1311-ben említik, amikor Aba Amadé nádor és fia visszaadja a jogtalanul elfoglalt várat Károly Róbert királynak. Fia, Nagy Lajos király Munkácsot a románok fejedelmének ajándékozta a litvánok elleni vitézségük jutalmául. A románokat Kun László telepítette le, és 1359-ig éltek ezen a vidéken. Ekkor Moldvába költöztek, és Munkácsot 300 faluval együtt üresen hagyták. Nagy Lajos király az így elhagyott földeket és falvakat Koriatovics Tódor litván hercegnek ajándékozta, aki a király jóváhagyásával Podóliából 40000 rutént hívott át, és velük betelepítette az üresen hagyott falvakat.

Koriatovics Tódor herceg a várost és a várat újjáépíttette és megerősíttette. **69, 70, 72** A vár legfelső udvarán egy 72 m-nél mélyebb kutat ásatott. **73** Ekkor alapította a Csernek-hegyi kolostort is ruténjei számára. Halála után Munkács várának urai sűrűn váltották egymást, előbb Brankovics György szerb fejedelem, majd a Dobó és a Pálóczi család. 1451-ben Ulászló Hunyadi Jánosnak adta a várat, aki felvirágoztatta, szabad várossá tette. 1456-ban bekövetkezett halála után özvegye, Szilágyi Erzsébet lett a vidék tulajdonosa. Fia, Mátyás király ugyancsak nagy pártfogója volt a városnak. A Hunyadiak után Munkács urai: Zápolya János, I. Ferdinánd, 1605-től Bocskai István erdé-

69

70

lyi fejdelem, majd Bethlen Gábor, akinek halála után a felesége, Brandenburgi Kata várkapitánya, gelsei Balling János a belső várban új épületet állíttatott. Az épület falára a következő feliratú kőlapot helyezték el:

„Cura & fide Generosi d(omi)ni Joannis Balling de Gelse Summi capitanei arcis ac Praesidii Munkacz inchoata et absoluta Anno 1629". **71**

1630-tól a vár újra a Rákóczi-családé. I. Rákóczi György halálakor özvegye, Lorántffy Zsuzsánna lett a vár ura, aki sok jót tett a környék lakóival. Fia, II. Rákóczi György nagyravágyó ember lévén betört Lengyelországba, ahol vereséget szenvedett. Ezt követően a lengyelek 1657-ben Lobomorszky hadvezérrel az élen Munkácsot és Beregszászt 300 faluval együtt felégették, szétdúlták, de a várat nem merték ostromolni. Ekkor vált közmondássá: „Rem tuam custodi, ne auferant poloni.", azaz: „Őrizd a

71

72

vagyonodat, nehogy a polyákok elhordják." Nem sokkal ezután a törökök szövetségesei, a tatárok törtek be, majd dögvész dúlt. Munkácsot a harcban elesett II. Rákóczi György fejedelem özvegye, Báthory Zsófia állíttatta helyre, ugyanakkor szellemi szabadságát lerontotta. Buzgó katolikus lévén a református vallást üldözte, papjait a munkácsi vár börtönébe csukatta. Vele történt meg az a furcsa eset, hogy fia, I. Rákóczi Ferenc Zrínyi Péterrel, Frangepán Ferenccel és Nádasdi Ferenccel szövetkezve megtámadta az általa védett munkácsi várat, amit elfoglalni nem tudtak. Mivel ez a fölkelés merénylet volt a császári hatalom ellen, a vezetőket elfogták. I. Rákóczi Ferenc anyja közbenjárására kegyelmet kapott, a többieket kivégezték. Rákóczi ezután haláláig visszavonultan élt Szentmiklóson. Az ő felesége volt Zrínyi Ilona, Zrínyi Péter lánya, Munkács történetének egyik hőse.

I. Rákóczi Ferenc szervezkedésének vezetőit kivégezték, de az ellenállás szelleme tovább élt. Rákóczi halála (1672) után özvegye gyerekeivel a munkácsi várba vonult, mely a forrongó párt célpontjának számított. A várat a császár elleni fel-

73

kelők élén Forgách Miklós, Wesselényi Pál és Ispán Ferenc ostromolták sikertelenül. Végül Thököly Imre, az igen tehetséges, sok nyelvet beszélő, művelt főúr vonult Munkács ellen, aki ostrom helyett a várban tartózkcdó özvegy, Zrínyi Ilona kezét kérte meg annak anyósától, Báthory Zsófiától. Báthory Zsófia a döntést a császárra hagyta, aki – bízva abban, hogy Thököly felhagy a pártütéssel – hozzájárult a házassághoz. Így 1682-ben Munkács ura Thököly Imre lett. A pompás lakodalom után Thököly első dolga volt a Báthory Zsófia által elnyomott református egyházat jogaiba visszahelyezni.

Thököly Imre a török porta segítségével I. Lipót császár ellen fegyveres harcot kezdett, ami kezdeti sikerek után végül vereséggel zárult. Thököly Törökországba menekült, a hívei pedig hűségesküt tettek a császárnak. Egyedül felesége, Zrínyi Ilona maradt hozzá hű Munkács várában. Először ezért Caprara tábornok próbálta a várat bevenni 1686-ban, majd Caraffa, az „eperjesi hóhér" ostromolta másfél évig. **65** Az ő bécsi palotájára írtak fel egyik éjjelen emlékezésül kegyetlenségeire a híres mondássá vált latin szöveget: „Ex lacrimis Hungarorum", aminek jelentése: „A magyarok könnyeiből." Thököly török száműzetéséből próbált mindent megtenni Ilona asszony megsegítésére. Egy

levelében megírta, hogy – ha a pápa közben-
járna a császárral történő kiegyezésben – haj-
landó lenne áttérni a katolikus vallásra, és
üldözné a reformációt. A levél egy református
vallású védő kezébe jutott, aki ezek után áru-
lással 1688. január 18-án a vár feladására
kényszerítette Zrínyi Ilonát. A hős asszonyt
gyermekeivel Bécsbe vitték, ahonnan 3 év
múlva Törökországba került. Száműzetésben
halt meg férjével együtt. Leányát, Juliannát
kolostorban, fiát, II. Rákóczi Ferencet jezsuita
iskolában taníttatták.

A Rákóczi-szabadságharc alatt a fejede-
lem leghűségesebb vára volt a munkácsi.
I. József az akkor még álló legtöbb magyar
várat felrobbantatta, de Munkácsnak megke-
gyelmezett, hogy börtönt csináltathasson
belőle. Nevesebb „lakói" közül Kazinczy Fe-
rencet kell megemlítenünk, ki 1800-tól egy
évig raboskodott itt. 1834. július 27-én a
várparancsnok gazdasszonyának gondatlan-
ságából a vár tűz martaléka lett, akkor kezdő-
dött meg lassú pusztulása. Az 1848-as sza-
badságharc idején a felső vár köröndjén sza-
badságfát ültettek. Szó volt még arról is,
hogy Petőfi Sándor honvéd őrnagy lesz a vár
parancsnoka, de a sorsa másképp alakult.

78

A millennium alkalmából az északi bástyán egy 38 m magas piramison Bezerédy Gyula szobrászművész turulmadár-alkotását állították föl. Az emlékmű nem sokáig állt, a két világháború között a csehszlovák hatóságok lebontották.

II. Rákóczi Ferenc császárhű neveltetése ellenére a Habsburg-ellenes családi hagyományt folytatta. Szabadságharcának elején – éppen édesanyját gyászolva – 1703. június 16-án érkezett 3000 gyalogos és 500 lovas élén Munkácsra. Ősi kastélyában szállt meg, **67** mivel a vár a császáriak kezén volt. A nemrég összeverődött csapat a jól szervezett Montecuccoli-ezredtől vereséget szenvedett, Rákóczi is csak szerencsével menekülhetett meg. A vert sereg a hegyekben gyűlt össze. Későbbiekben a fejedelem e kastélyból irányította a harcokat nyolc hosszú, mozgalmas éven át. Pénzét is Munkácson verette. A ma látható épületet **68** a Rákóczi-kastély – népies nevén a „fejérház" – bővítésével a XVIII. században építették.

Sokat foroghatott „szegény nagyságos fejedelem" törökországi sírjában, mivel e falak között – miután császári birtok lett – olyan neves Habsburgok szálltak meg, mint 1770-ben II. József császár, 1777-ben Miksa főherceg, 1852-ben I. Ferenc József császár és 1879-ben Rudolf főherceg. Munkács másik igazán régi épülete a XIII. században épített római katolikus templom. A XIV. században Erzsébet királyné, I. Nagy Lajos király édesanyja sokat imádkozott itt. 1881-ben a gótikus templomhajó elpusztult, csak a szentélye maradt meg mint Szent József-kápolna. **74, 75** Jelenleg könyvtár. Az új római katolikus templom 1905-ben épült, az előzőtől eltérő tájolással, közvetlen mellette. Munkácson 1795-ben református, 1800-ban görög katolikus templom **76** és több zsinagóga is épült.

E városban született Munkácsi Mihály festőművész. Meg kell még említeni Lehoczky Tivadart, aki Munkács város és Bereg vármegye legkiválóbb történésze.

Zsigmond király uralkodása idején, az orosz fejedelmek között dúló viszálykodások elől menekülve érkezett a XIV. század második felében Koriatovics Tódor ruténjeivel Kárpátaljára. A királytól Munkács várát kapta meg, a hozzá tartozó birtokkal. A ruténekkel együtt érkező szerzetesek ekkor alapították Munkács mellett a Csernek-hegyi (Fekete-hegyi) monostort, mely előbb rituális és szellemi központjuk, később a joghatóság gyakorlatának centruma, végül a munkácsi püspökség alapja lett. **77**

80

81

A legenda szerint Tódor herceg a környéken vadászott, amikor egy óriási kígyó megtámadta. Legyőzni csak Szent Miklós segítségül hívása után tudta, ezért hálából a tiszteletére emelte a kolostort 1360-ban. A munkácsi püspökség első hiteles oklevele Lukács presbiter kinevezését tartalmazza, melyet Mátyás király 1458. augusztus 14-én állított ki. Lukács presbiter utódját, Jánost a korabeli oklevelek püspöknek nevezik, ezért a történészek a munkácsi püspökség kezdetét az ő idejére (1491–1498) teszik. A munkácsi kolostor a XV. század végén, ismeretlen körülmények között elpusztult. Az oklevelek csak 1551-ben említik újra.

1646-ban a görög egyház visszatért a pápa irányítása alá. 1664 után a főurak nem fogadták el a papság püspökjelöltjét, és 25 évi vita után a Szentszék De Camelis római bazilita szerzetest nevezte ki munkácsi püspöknek. Ő megszilárdította az egyházmegye Rómához való visszatérését, az uniót. Mivel a görög vallásúak szertartása a nép nyelvén folyik, ezért kezdeményezte, hogy a magyar ajkú hívek részére a szertartásokat fordítsák le magyarra, illetve az egyházi népénekeket magyarul énekeljék a magyarok.

82

84

85

A Rákóczi-féle szabadságharc után a kolostor – és vele együtt a munkácsi püspökség – sorsa a főúri és a katolikus egyházon belüli viszályoktól függött. A munkácsi görög katolikus egyházmegye ekkor még jogilag az egri püspök hatósága alá tartozott. Olsavszky Emmanuel munkácsi püspök (1743–1767) sokat tett a püspökség függetlensége érdekében. Végül Mária Terézia közbenjárására XIV. Kelemen pápa 1771. szeptember 19-én felállította a független munkácsi egyházmegyét. A püspökség székhelye 1775-ben Ungvárra került. Bár a görög katolikus püspökség székhelye így Ungvár lett, nevében mindig megőrizte a „Munkácsi" elnevezést, ami utal az ősi, Csernek-hegyi eredetre.

A két világháború között Kárpátalja csehszlovák terület lett. A csehszlovák állam türelmesnek mutatkozott a görög katolikus közösségekkel szemben, de inkább az ortodoxok expanzióját támogatta.

A második világháború után, 1949-ben megszűnt az egyházmegye. A templomok nagy részét a moszkvai pravoszláv pátriárcha irányítása alatt álló keresztények vették át. A Csernek-hegyi Szent Miklós-kolostorban jelenleg pravoszláv bazilissza (Vazul-rendi) apácazárda van. **79, 80, 81** A ma látható templom barokk stílusban 1789–1804 között épült, a kolostor 1766–72-ben. A védelmi célt szolgáló kőfal **78** nemcsak a kolostort, hanem a gazdasági épületet és a veteményeskertet is bekeríti.

86

A Vazul vagy Bazilita rendet 361-ben Kis-Ázsiában alapította Nagy Szent Vazul. Ez volt az első szerzetesrend a világon, és a mai napig is egyetlen a bizánci szertartású keresztényeknél. Az unió után Magyarországon 8 rendházuk épült, a máriapócsi kivételével mind Kárpátalján állt.

A Szolyvai-havasok lábánál fekszik Padobóc falu. Régi település. Fatemplomát és a mellette álló haranglábat az elmúlt években bádogfedéllel kívánták megmenteni az enyészettől. 83 Nem így a közeli repenyeiek, akik a régi zsindelyfedést próbálják karbantartani. A Repenye központjában álló templom 82 érdekessége nyolcszögletű toronysisakja. 85 Görög katolikus papját – a helybéliek elbeszélése szerint – a háború után elhurcolták, és a falu traktorosa vette át a lelkipásztor feladatait a pravoszláv egyház pár hónapos átképzése után.

A Bisztra-patak völgyében a régi országhatár közelében találjuk Toronya községet. Fatemplomát szakszerűen zsindelyfedéssel újították fel, tornya barokk stílust idéző bádogos mestermunka. 84 A szomszédos Felsőbisztra és Majdánka között található a már eredetileg is pravoszláv célokra épített, görög

88

kereszt alaprajzú, hagymakupolás bizánci kőtemplomok stílusát utánzó fatemplom. Minden apró részletében más akar lenni, mint amit természetes építőanyaga kínálna. **86**

Máramaros megye északi részének központja Ökörmező. Festői völgykatlanban, a Nagyág völgyében fekszik. **87** Átkelve a hegyeken a Talabor völgye felé egymást váltják a havasi legelők és a ligetes, majd egyre sűrűbb fenyvesek. **88, 89**

Utunkat a Talabor völgyében folytatva érkeztünk meg Felsőkalocsára. Itt örökíthettük meg az ódon fatemplom szomszédságában most újjáépített fa haranglábat. **90** A fatemplom építésének művészete nem hal ki, hiszen a falucska lakóinak életét egyaránt meghatározza a buzgó hitélet és a fa. A hegyvidékeken megszokott módon kis faházaikat körülrakják a téli tüzelővel. **91**

Alsókalocsa görög katolikus fatemplomát **92** az elmúlt évtizedekben központi elhatározásra új ideológia szolgálatába állították. Nagy sorozatban gyártott, „áhítatot parancsoló" vörös táblácska hirdeti a bejáratnál, hogy múzeumba lépünk. A görög templomok elmaradhatatlan ikonosztázionja itt is azonnal szembetűnik. A gondosan lecsupaszított királykapu és a mellette lévő két diakónus kapu felett új ikonok mutatják be az új „szentháromságot". **93** A faluban azonban csak annyi a változás, hogy a zsindelyt lassan felváltja a hullámpala, a gyermekek bocskorát pedig a gumicsizma. **94, 95**

90

91

92

93

94

96

98

A Talabor mentén lefelé haladva lassan megszelídül a táj. Az út követi a folyócska kanyarulatait, majd egy mesterséges tó partvonalát. **96, 97**

A kaszálókról az itteniek a hagyományos módon gyűjtik be a szénát. Ennyi fér egy rutén szekérre. **98**

Vulsana határában gyönyörű, tiszta, arányos házikóra bukkantunk. **100** A falu túlsó végén drótköté erősítésű hosszú fahíd emlékeztet arra, hogy a csöndesnek tűnő Talabor vize olykor kilép medréből. **99**

99

100

101

102

103

104

A folyócskát számtalan tiszta vizű ér és patak táplálja. **104** Gyakori látvány a patakban mosó asszony. **101** A munka ugyanaz a háziasszony számára, csak a segédeszközök változtak meg némileg. A kimosott ruha illata is valószínűleg felülmúlja a legkorszerűbb öblítőszerét.

Kricsfalvánál a Talabor völgye kiszélesedik, a meder ágakra szakad. **102, 103** Darva katolikus fatemplomának különleges tornya az egykori ácsmester művészi képességeit dicséri. **106** Bizonyára módos falu lehetett egykoron, ezt tanúsítják a templom díszes, faragott oszlopai.

Uglya felé haladva az út jobb oldalán elhagyott zsidó temető hívja fel a figyelmet az itt egykor nagy számban élő zsidóságra. **107** Galíciából települtek át, a döntő többségük a múlt század elején. Az Osztrák–Magyar Monarchia kedvező körülményei között rövid időn belül vezető szerephez jutottak a kereskedelemben és az iparban. Kárpátalja legvagyonosabb – polgári életmódú – népcsoportja lett. 1926-ban már a lakosság 14%-át adták.

Többségük Hitler és Sztálin népirtó politikájának esett áldozatul.

Az uglyai görög kőtemplom monumentális méretei a hajdan itt működő monostorról tanúskodnak. **105** Egykori szerzetesei a körtvélyesi kolostorból a XVI. század közepén jöttek át.

Ötvösfalván az út mentén találtuk a népi építészet egyik szép alkotását, mely házikóban egy öreg néni ma is lakik. **110** Továbbhaladva Husztsófalva központjában meredek domb tetején gyönyörű görög fatemplom hívta magára a figyelmet. **109** A templomot 1779-ben szentelték Szt. Miklós tiszteletére. Karcsú tornya mintha az eget szeretné ostromolni, oly magas. Zsindelyes haranglábjában a harangok régen hívták templomba a híveket. **108** A szomszédos Mihálka nevét Mihály arkangyaltól kapta, akinek tiszteletére 1668-ban építették görög fatemplomukat. **111** A falu lakóinak többsége rutén, amit a kékre festett, a telek belsejében álló lakóház is jelez. **118** Az előzőekkel azonos stílusban építették Száldobos fatemplomát is. **114** A görög katolikusok nemrég kapták vissza. XVIII. századi ikonosztázionja viszonylag jó állapotban megmaradt. **112** A húsvéti misét éppen elkezdő papról eszünkbe jut egyházának nehéz sorsa. **113**

A szocialistának álcázott pánszláv törekvésekbe a görög katolikus egyház, mivel elismerte a római pápa fennhatóságát, nem

illett bele. Röviddel azután, hogy a szovjet csapatok bevonultak Kárpátaljára, megkezdődött a kálváriája. 1947. október utolsó vasárnapján a Munkács melletti Lókén templomot szentelt Romzsa Tódor megyéspüspök. Másnap lovasfogattal indultak vissza a püspökségre, amikor egy Studebaker típusú teherautó hátulról a kocsit az árokba lökte. A merénylet következtében a kocsis a helyszínen, Tódor püspök pedig november 1-jén a munkácsi kórházban meghalt.

Miután az egyházmegye elvesztette vezetőjét, a papságot megpróbálták kényszeríteni a pravoszláv egyházhoz való csatlakozásra. Aki nem írta alá azt a nyilatkozatot, mellyel elismeri a moszkvai pátriárka fennhatóságát, koholt vádak alapján elítélték, lágerbe küldték. A mártírokat szülő helyzet különös eseteket is teremtett. Az egyik faluban az idősebb pap börtönbe került, mert hű maradt egyházához és magyarságához. Fia, aki szintén pap volt, karonülő gyermekeire való tekintettel „aláírt". Az apa a lágerből kiszabadult Sztálin halála után, de mindkettőjük további életét megkeserítette ez a lelkiismereti kérdés.

112

113

114

A templomokat automatikusan pravoszlávosították, Ukrajnából küldtek pópákat a megüresedett parókiákra. A szertartás nyelve egyre inkább az ószláv lett, és a prédikáció is ruténre, illetve ukránra váltott. A katolikus templomok egy részéből ateista múzeumot csináltak. Megesett az is, hogy egyszerűen magára hagyták. Más templomokat lebontottak. Az egyház illegalitásba került. A papságot a legnagyobb titokban, a házaknál képezték. A 40 éves elnyomás mély sebeket hagyott, de 1989 Kelet-Európát átformáló szelleme megújulást hozott itt is. A hallgatólagosan legalizált egyház népi kezdeményezések nyomán sorra szerzi vissza ősi templomait. A kényszerű hallgatásból felszabaduló papok vezetésével felélednek a hagyományok is.

1990 tavaszán a békés átmenet betetőzéseként gondviselésszerűen az egyes egyházak húsvétjai egy időpontra estek. Így különösen felemelő hangulata volt ennek a négy évtized óta először munkaszüneti nappal is megtisztelt ünnepnek. Az itt élő népek átélhették a feltámadást. Szeklencén az 1644-ben Szászfaluról ajándékként átköltöztetett közel 700 éves templom január óta újra betölti hivatását. **115, 116** Húsvétkor a falu népe szinte hiánytalanul ott volt, és a régi szokásokat csorbítatlanul elevenítette föl. **120**

116

117

118

119

Kőrösmező **132** előtt a Fekete-Tisza délre fordul. Szinte egybeépült vele a Lazescsina patak völgyében fekvő Mezőhát. A rutén településekre jellemzően nehéz megtalálni a két falu határát. A hely szomorú nevezetessége, hogy a tatárok itt, a közeli Tatár-hágón keresztül több ízben törtek be hazánkba.

A vidék lakói a huculok. Utunk során egyedül közöttük találkoztunk élő népviselettel. Húsvét vasárnap délután többen is hagyományos népviseletben mentek a kis fatemplomba, melynek ikonosztázionját is helyi hímzéssel díszítik. **133, 134, 135, 136** A női viselet talán legjellegzetesebb része a fehér vászonszoknya fölé, elöl hátul kötött, fémszállal átszőtt csíkos kötény. **137**

133

134

135

Kőrösmező – a legnagyobb hucul község – festői népviseletén kívül egykor fafaragó-iskolájáról, és hat görög katolikus fatemplomáról volt híres. Elszórtan itt is élnek magyarok. A falu alatt a Tisza völgye kissé kiszélesedik. A folyó partjait több helyen masszív fahíd köti össze. **138**

Délre haladva Tiszaborkútra érkeztünk. A hucul falu nevezetessége a jódos-vasas, valamint savanyú gyógyvíz.

Régtől a környék közigazgatási központja Rahó. Határában, zajos cigányok házai mellett egyesül a Fekete- és a Fehér-Tisza. **140** A városka lakói rutének, magyarok, németek és zsidók. Templomaik közül a legnagyobb a római katolikus, mely a város központját uralja. **139**

139

140

Az egykori Monarchia határmenti városán, Rahón is át-
halad a vasút. Szolgálati épületei nem sokat változtak az el-
múlt évtizedekben. Bárhol találhatunk hasonló, jó minőség-
ben, egységes tervek alapján megépített vasutasházakat. **141**

A Tiszával együtt kanyarog az út lefelé a völgyben.
Egyik ámulatból esik az ember a másikba a táj festői
szépségének láttán. **142, 143** Terebesfejérpatak után a
folyó bal partját követő vasút már a karnyújtásnyira lévő
határon túl, Románia területén halad. A jobb partot átha-
tolhatatlan szögesdrót kerítés csúfítja. Az egyébként szép
táj megörökítésének gátat szabtak az őrtornyok. Nagy-
bocskónál a Tisza völgye kiszélesedik, kiléptünk a hagyo-
mányosan huculok lakta vidékről. Ebben a tágas völgyben
találjuk az egykori öt máramarosi koronavárost, melyek
Máramarossziget, Hosszúmező, Técső, Visk és Huszt. Kö-
zülük az első kettő ma Románia területére esik.

Az egykori megyeszékhellyel, Máramarosszigettel átellenben, a Magura hegység tövében van Máramaros egyik leggazdagabb sóbányája, az aknaszlatinai. Itt található a legközelebb a felszínhez az a több mint 300 m vastag és kb. 3,6 négyzetkilométer kiterjedésű sóréteg, amely évszázadokon át gazdaggá tette a vidék hajdani lakóit. **144** A sóbányászat és kereskedelem királyi monopólium volt. Szállítási útvonala a Tisza völgye a vízen tutajon, vagy az országúton szekéren. A szomszédos falu Alsóapsa. Görög katolikus fatemploma **146, 147** messziről magára vonta tekintetünket, mivel olyan szabályos kis dombon van, hogy azt hihetné az ember, hogy szándékosan hordták össze. A jó állapotú, régi templom, harangláb, paplak és iskola magára hagyottan áll és az itt élőkkel együtt várja, hogy pap jöjjön a faluba.

Szentmihálykörtvélyesen öregek és fiatalok egyaránt ismerik egykori nagy hírű kolostoruk helyét, melyet ma csupán egy kisebb halom és egy kereszt jelez. **145** A Szent Mihály arkangyalról elnevezett bazilita kolostor kezdetben a szláv–bolgár, később a magyar ajkú keleti keresztények lelki és szellemi központja volt. 1391-ben Bizánc pátriárkája oklevélben apátság rangjára emelte, és a saját közvetlen joghatósága alá rendelte. Felhatalmazta, hogy a Szilágyság, Meggyesalja, Ugocsa, Borzsava, Csicsó, Bálványos és Almaszeg keleti kereszténységét irányítsa. Csak 1439-ben került a Csernek-hegyi kolostor joghatósága alá. Százhúsz évvel később a szerzetesek átköltöztek Uglyára és Munkácsra. A kolostor 1664-ben elpusztult.

145

A Tisza a Tarac folyócska vizével gyarapodva ér Técsőhöz. Ebben a főként magyarok lakta városban találkoztunk híres honfitársunk szobrával. **148** Privilégiumait a település 1329-ben kapta. Református temploma közvetlen az első tatárjárás után a XII . században épült, tornya 1810-ben. **151** Középkori eredete elsősorban a keresztboltozatos mennyezetű, román kori ablakokkal megvilágított szentélyén látszik. A hajót ornamentális és figurális, festett kazettás famennyezet díszíti. A városka szép házai hajdani jólétről tanúskodnak. **149, 150**

Técsőn túl tovább szélesedik a völgy, és hasonlóan a Tisza is, miután több patak és a Talabor vize is belé ömlött. A Visk mellett sötétlő kúpos hegyen állt hajdan a viski vár. A Hont-Pázmányok emelték a IV. László és III. Endre idején dühöngő belviszályok idején. A huszti vár felépülése után a völgyeket lezáró stratégiai jelentősége megszűnt, lassan elpusztult. **152**

146

148

149

150

153

Visk legrégibb műemléke a kis dombon épült református templom. **153, 154, 155** A Felső-Tisza-völgy legősibb, erődített templomát V. István épít-tette 1270-ben. A XVI. században a városka lakói magyarok és az erdélyi nagyszebeniekkel rokon-ságban lévő szászok. A reformáció szele is onnan érte őket, 1524-ben lutheránusok, majd 1556-ban kálvinisták lettek. 1657. február 17-én II. Rákóczi György erdélyi fejedelem országgyűlést tartott itt, és innen indult Lengyelország ellen IX. Károly svéd király megsegítésére. Később Kárpátalja népe sú-lyosan megszenvedte a lengyelek bosszúhadjára-tát. A kuruc szabadságharc idején többször leégett a templom, feldúlták a települést.

154

1717-ben a tatár sereg késve ment erre Belgrád török védőinek megsegítésére. Kárpátalja feldúlása után, hazatérőben foglyokkal és zsákmánnyal felpakolva találkoztak a ma is „Hadimezőnek" nevezett dűlőben a rájuk törő magyar sereggel, akik 9000 rabot szabadítottak ki. Menekülés közben a tatárok a református templomba húzódott hívek egy részét meggyilkolták, a templom és a harangláb farészeit felgyújtották.

Kezdetben az öt máramarosi koronaváros alkotott egy református egyházmegyét. 1821-ben Máramaros és Ugocsa egyházközségei egyesültek, és előbb az erdélyi egyházkerülethez, később a tiszántúlihoz tartoztak, így az I. világháború végéig közvetlenül a debreceni püspök kormányozta őket. A világháború óta létezik a kárpátaljai református egyházkerület.

Az ősi viski templomot legutóbb 1970-ben újították fel. A templomtető csúcsos, kontyolt, nyugati végében kis huszártoronnyal. Az egy méternél vastagabb kőfal ma sok virágnak, különleges fafajtáknak, rózsáknak nyújt védelmet. Itt áll a szoknyás, galériás, csúcsos, XVIII. századi fa harangtorony. **157, 158, 159** A templomkertben állították fel az elsők között azt a gyönyörű kopjafát, amely az elhurcolt magyar mártírok emlékműve. **156** 1944 őszén Kárpátalja magyar férfilakosságát kényszermunkára, úgynevezett „málenkij robotra" vitték el három napra, mely azután évekig tartott, és a legtöbb esetben az elhurcoltak halálával végződött. A szerencsétlen mártíroknak emlékművet sem lehetett állítani a gorbacsovi politika előtt.

A „nehéz időkben" a református egyház múlhatatlan érdemeket szerzett a magyarságtudat megőrzésében. A helyi hagyományőrző népitánccsoport két lelkes tagja felöltötte a „csárdást". **160**

158

159

A régi református temető sok öreg sírja **164** mellett találtuk egy fiatalember síremlékét, melynek oszlopa ugyanúgy kettétört, mint az ő élete az I. világháborúban. **161** Csík István tanító úr síremléke nem fegyverrel vívott harcra emlékezteti az utókort.**162**

Egykor Visk várhegyi fürdőjének savanyú vize vonzotta a gyógyulni vágyókat. A fürdő ma már nem áll. A várostól 7 km-re a Saján patak árnyas völgyében bővizű szénsavas gyógyforrások vize tör elő a földből, ez Kárpátalja legkeresettebb borvize.

165

Sajántól Visk felé emelkedik a Bujdosó. **163, 165** Ez az erdővel borított hegy adott menedéket a XVII–XVIII. században a szökött jobbágyoknak, szegénylegényeknek. Bujdosó életmódjuk miatt ők ismerték legjobban az erdőket, vámhelyeket és titkos ösvényeket, ezért aztán a császár hatalmának legveszedelmesebb ellenfelei voltak. Üldözték is őket, mint az erdei vadakat. A hegyről gyönyörű kilátás nyílik a Máramarosihavasok délnyugati vonulatára.

Még a legnehezebb idők-
ben is engedélyezték a ható-
ságok a Bujdosón évente
megrendezett tavaszi pásztor-
ünnepet, a „Misányát". A szó
összefejést jelent a helybéliek
szerint. Eredete messze visz-
szanyúlik a kereszténységet
megelőző időkbe. A juh tava-
szi befejése vagy tejbemérése
Erdély-szerte is általános gya-
korlat még napjainkban is.
Ilyenkor minden gazda elle-
nőrzi a juha tejhozamát, mert a
pásztoroknak ennek alapján
kell a sajtot, gomolyát beszol-
gáltatniuk. A juhászok ilyen-
kor megvendégelik a falu né-
pét saját készítésű birkapapri-
kással, kecskepörkölttel, túró-
val, sajttal, és természetesen
vodkával, borral, majd fél évre
kihajtják nyájukat az ekkor
már zöldellő Máramarosi-
havasokba. **166, 167**

168

Lipcsemező felől a Nagyág völgyébe vezetett utunk. Szépen gondozott gyümölcsösök, rétek, szántók tanúsítják, hogy szorgos emberek laknak itt. **168, 169, 170, 171**

Ma Magyarországon Huszt elsősorban Kölcsey verséből ismert. A hajdan stratégiai szempontból jelentős koronaváros a Tisza partján, a Nagyág torkolatánál fekszik. Magányos hegyén ma is állnak a „bús düledékek". **172** A várat 1090 körül Szent László király építtette a kunok ellen. A környék lakóin kívül a máramarosi sóutat védte. Számos főúri tulajdonosa is volt. Ezek közül a legnevesebbek a Huszth-Pázmán család, Koriatovics Tódor, a Perényi család, Aragóniai Beatrix királyné, Szapolyai János, Thököly Imre. A Rákóczi-szabadságharc idején a várban lőpor- és bőrgyár is működött. Itt gyülekeztek az erdélyi kurucok, és itt kiáltották ki Erdély függetlenségét. A háborúk által megrongált erősséget 1766. július 3-án egy rendkívüli erejű zivatarban két villám sújtotta és leégett. Harminckét évvel később egy újabb vihar a tornyát is ledöntötte. Azóta „romvár". **174**

170

Huszt református templomát Szent Erzsébet tiszteletére emelték a XIII–XV. század között. Erődített templom, sokszögzáródású, támpilléres, csúcsíves ablakokkal megvilágított szentéllyel. **173** Itt nyugszik Petrőczi Kata Szidónia, magyar költőnő.

A Tisza túlpartján a sík völgyből magányosan kiemelkedő dombon állt Királyháza határában a Nyalábvár. Romjai a fák lombján át alig vehetők észre. **175** Helyén a XIII. században királyi vadászház állt, mely az Ugocsa megyében kialakult erdőuradalom központja volt. A XV. században várfallal vették körül. Több ízben nyújtott menedéket a felkelő parasztoknak, ezért II. Lipót parancsára lerombolták.

Szászfalu határában ma is Ugocsának neveznek egy dűlőt. Valószínűleg itt állt egykor a vármegye nevét adó földvár. Az egyik legkisebb magyar megye székhelye, Nagyszőlős a Fekete-hegy tövében fontos kereskedelmi útvonalon fekszik. Szász telepesek irányításával kiváló szőlőtermő vidékké alakították a várost övező napsütötte lejtőket. A Perényiek 1399-ben kapták a királytól ezt

174

175

a birtokot. Várat építettek, amelynek helyén ma is áll a barokk Perényi-kastély. **176** Ők hívták a városba a ferenciskánusokat. Legendás kolostorukat a nép Kankóvárnak nevezi a barátok szőrcsuhájáról. **177** A XVI. században ez a régi rendház elnéptelenedett. A városközpontban álló barokk ferences kolostort és templomot 1744-ben építették. **178** A második világháborút követő években a római katolikus szerzeteseket és papokat elüldözték vagy elhurcolták, templomaikat elvették. A ferences épületegyüttesben ma kulturális intézményeket találunk; nem kapta vissza a rend. A Magyarországról átköltözött három ferences testvérnek a hívek vettek egy lakást, onnan járnak el szolgálatra egészen Rahóig.

179

Szemben a Nagyboldogasszony tiszteletére szentelt, Árpád-korban épített római katolikus templomot Paskai László bíboros kárpátaljai látogatása előtt adták vissza siralmas állapotban. Előbb bőr-, majd gumiraktárként használták. Az elégetett hulladékoktól a lekopasztott falakat korom szennyezi. Áldozatos munkával folyik a templom helyreállítása. **179**

Az eltelt negyven évben a hívők a temetőkápolna falánál ideiglenesen felállított tábori oltár előtt, a szabadban vehettek részt szentmisén. **181** A több ezer elhurcolt magyarnak állít emléket a temetőben a faragott kopjafa. **180** Nagyszőlősön görög katolikus segédpüspök is képviseli a katolikus egyházat, irányítja – ma legálisan, azelőtt titokban – a rutén papnevelést. **182**

180

181

Az ardó név erdőőrt jelentett. Fekete-
ardó római katolikus templomát is most
újítják fel. A XIII. századi román stílusú
szentélyéhez a XV. században gótikus ha-
jót és tornyot építettek. **133**

Csepe a XVII. század elejéig magyar
falu volt. Bélletes bejáratú református
temploma ebből az időből származik. **184,
186** A falu egykori birtokosa a Fogarassi
család volt. **185** A görög katolikus temp-
lomban büszkén mesélik, hogy ők az elmúlt
évtizedekben megőrizték magyarságukat az
új keletű anyakönyvi bejegyzések ellenére.
Büszkék a mellékoltáron elhelyezett magyar
címeres Mária-képükre is. **187, 188, 189**

182

184

186

187

188

189

190

SOHA NE ISMÉTLŐDHESSEN MEG
1944 ŐSZE!
EMLÉKEZZÜNK
A MEGGYÖTÖRT, A MEGALÁZOTT,
TÖMEGSÍROKBAN NYUGVÓ KEDVES
HALOTTAINKRA, AKIK A FOGOLYTÁ-
BOROKBAN PUSZTULTAK, MERT BŰNÜK,
MAGYARSÁGUK VOLT.
• BOCSKOR ANDRÁS 1921
• BOCSKOR ANTAL 1921
• BOCSKOR KÁROLY 1911
• BOCSKOR FERENC 1922
• BOCSKOR PÁL 1902
• CSERKUN FERENC 1906
• DOMOKOS ALADÁR 1909
• DOMOKOS ELEMÉR 1905
• DOMOKOS GYULA 1902
• DOMOKOS KÁROLY 1908
• FARKAS ZSIGMOND 1925
• FODOR JÁNOS 1904
• NAGY ISTVÁN 1898
• NAGY ZSIGMOND 1915
• OROSZI GYÖRGY 1900
• OROSZI ISTVÁN 1902
• OROSZI KÁLMÁN 1902
• OLÁH JÁNOS 1913
• POTI JÁNOS 1924
• SALAMON ANDRÁS 1904
• SEBESTÉNY SÁNDOR 1910
• SZERECSEN PÁL 1902
• TÓTH GÁBOR 1904
• TÓTH KÁROLY 1902
• TÓTH PÁL 1918
• VARGA GYÖRGY 1902
• VASAS MIHÁLY 1921

191

192

Békességben áll egymás mellett a református és katolikus templom Nevetlenfaluban. **193** Kíváncsian kérdeztünk a falu nevéről egy nénit, aki épp akkor kerékpározott vissza, át a határon, idős nénikéjétől. Többszöri unszolásunkra elmondta, hogy régen egy elöljáró egy szemérmetes leányzótól kérdezte meg a falu nevét, ő nem merte kimondani, hogy Picsajda, inkább azt mondta, hogy „Nevetlenfaluban jár az uraság". A tudományos magyarázat szerint Diákfalvából lett a szégyellnivaló, félreérthető Gyakfalva.

Mocsaras vidéken vagyunk. Akli kis református temploma középkori eredetű, kapuja szamárhátíves, ablakait kőrács díszíti. **190, 192** Udvarán rusztikus oszlop emlékeztet a legújabb kori történelemre. **191**

Nagypalád főutcáján áthaladtunkban a régi, jobb időket élt malomépület hívta fel magára a figyelmet. **194**

A Tisza áradásos partján egybeépülve találjuk az Ugocsa megyei Tivadart, Péterfalvát, Farkasfalvát és Tiszabökényt. 1990. július 8-án Tivadar és Péterfalva határában emlékművet avattak a háborúban eleseteknek és a sztálini önkény áldozatainak kőbe vésett hosszú névsorával. **195** Az ünnepségen képviseltette magát a Kárpátaljai Magyar Kulturális Szövetség (KMKSZ) is, elnökének, Fodó Sándornak vezetésével.

Péterfalva túlsó határában egész Kárpátalján egyedülálló módon magyar skanzenban ismerkedhettünk meg itt élő honfitársaink múltjával. Láttunk itt a gazdasági épületek – ólak, istálló, csűr, kaptár, szín, vízimalom – mellett használati tárgyakkal gazdagon berendezett paraszti lakóházakat és falusi iskolát a tanító lakásával.**196, 197, 198, 199, 203**

200

201

Tiszabökény református temploma feltehetően állt már az első tatárjárás-kor. **201** Többször is újjá kellett építeni a Tisza áradásai és a rablóhadjáratok nyomán. Talán ezzel magyarázható szabálytalan, lépcsős tagolású román kori kapuja. **202** Az út túloldalán áll egy huszártornyos kicsi görög katolikus templom külön haranglábbal. **200**

A kurucok paraszti származású vezére, Esze Tamás rendszeresen sóval szekerezett le Máramarosból Debrecenbe. Egyik útján a tiszaújlaki sótisztek belé kötöttek, elvették szekerét és falujában, a közeli Tarpán kifosztották a portáját. Megvette a maga kárát, amikor 1703. május 24-én reggel 7 órakor szegénylegényekből verbuvált két gyalogoscsapattal és 40 lovassal rajtaütött a sóházon. Az épület ma is áll az Esze Tamás téren és falán emléktábla jelzi az első kuruc harci cselekményt. **204** Ezután zsoldosokat toborzott a környéken a császári sereg számára, akiket azonban nem a császárra esketett fel, hanem a hegyekbe irányított, a felkelők közé. Rákóczi részben az ő személyes rábeszélésére állt a felkelés élére.

A szabadságharc első győztes csatáját is Tiszaújlak mellett vívták a kurucok. Mivel a szegénylegények jól ismerték az erdő rejtett útjait, úgy lepték meg a révet őrző német puskásokat, mintha az égből hullottak volna elébük. Ezen a helyen a közelmúltban ismét fölállították a turulmadaras emlékművet, melynek tábláján a következő olvasható: „A kuruc szabadságharc (1703–1711) első győzelmes ütközetének és az 1703. július 14–16-i tiszai átkelés emlékére." **205** A Hont-Pázmány nemzetség ugocsai ága, az újhelyi család a szomszédos Tiszaújhelyről kapta a nevét. **206**

Verbőcön született 1460 táján Verbőczy István jogtudós. Falujában jól megfigyelhető a környékre jellemző lugasos szőlőművelés, mely újfajta jelenség mióta nem lehet a gazdáknak saját szőlőjük a hegyen. Olyan magasra futtatják a szőlőt, hogy a szénásszekérrel be lehet alatta hajtani, ugyanakkor a tűző naptól is védi az udvart nyáron. **207**

206

124

208

209

Az egykori Bereg és Ugocsa vármegye határán kanyarog a festői szépségű Borzsa folyó. Felső völgyében **211** áll Szuhabaranka, mely rutén falu. A két megmaradt szomszédos öreg ház a hagyományos itteni típus kétféle variációja. **208, 209** A falu rutén temetőjében pravoszláv keresztek jelölik a sírokat. **210**

Dolha vashámorairól volt híres, melyekben mezőgazdasági eszközöket, kovácsolt és öntöttvas síremlékeket, ablakrácsokat és kályhákat öntöttek. Az itt élő Dolhai család várkastélyát Mátyás király hűtlenség miatt leromboltatta. Utódaik később épített kastélyának kapuját a múló idő emészti lassan el. **212** Dolha szomorú nevezetessége, hogy a Rákóczi elé igyekvő kurucokat Károlyi Sándor, kihasználva a szegénylegények gondatlanságát, nyolc század katonájával és egy század vasas némettel szétverette.

Követve a Borzsa folyását Nagykomjátra érkezünk. Az ungvári székesegyház után itt van a legnagyobb kárpátaljai görög templom. A templom kertjében a Rabár család síremlékei sorakoznak, amelyeket valószínűleg a dolhai vashámorokban készítettek. **214**

Ugocsa megye legnépesebb és legnagyobb határral rendelkező falva Salánk. A korábban idetelepített flamandok, szászok elmagyarosodtak, így a XVI. században már tisztán magyar ajkú falu volt. 1577-ben alakult meg az itteni református egyház. **213, 215** A falu görög katolikus egyházát is a magyarok alapították 1702-ben. A Rákóczi-szabadságharc utolsó országgyűlését 1711. február 11–18. között Salánkon tartották. Az egybegyűltek elfogadták, hogy a fejedelem a cárral való tárgyalás céljából Lengyelországba utazzon. Az országgyűlés helyszíne, az Előhegyen álló salánki kastély az 1717-es tatár támadás során elpusztult. Helyén ma csupán a grófi pince áll, s betölti borérlelő hivatását. Akkor a falu egy része is elnéptelenedett, és a földesurak ruténeket telepítettek birtokaikra, hiszen szállóige volt közöttük: „magyar jobbágy: perlekedés, zsidó jobbágy: pénz, orosz jobbágy: zsíros konyha".

Salánk életében jelentős szerep jut a hagyományoknak. **218** Az idősebbek szívesebben laknak a régi eszközeikkel berendezett nyári konyhában, mint a mellette álló új családi házban. **217** Ragaszkodnak a ma már használaton kívül lévő tárgyaikhoz. **216** Nem haltak ki a templomok ikonosztázionjait készítő népi festők sem. **219** Házigazdánk, Harangozó Miklós képei erről tanúskodnak. **222** Ő vitt el templomukba **221**, ahol páratlan szépségű, többszólamú, magyar nyelvű népénekekkel kísért görög katolikus misén vehettünk részt. **220**

A Borzsa jobb partján, a beregi erdővel szemben áll egy dombon Kovászó romvára. Az utolsó tulajdonosa rablótanyának használta, ezért 1564-ben a császár elfoglaltatta és leromboltatta. **224**

216

220

221

222

Bene református temploma a XIV. században épült szűk, lőrésszerű ablakokkal, keletelt szentéllyel és támpilléres toronnyal. A tatár és a lengyel dúlások nyomán beomlott boltíves födémet laposra cserélték 1670-ben. **223**

A Cset nevű alapítójáról elnevezett Csetfalva templomát a XV. században építették. Az akkor még római katolikus faluközösség a XVII. század közepére már virágzó református gyülekezetet alkotott. A templomot átalakították, felújították, majd bejárata elé karcsú, zsindelyes, fiatornyos haranglábat építettek. **225**

223

Nagymuzsaly őskor óta lakott területen, a beregszászi hegyek déli lankáin fekszik a Borzsa jobb partján. A riolit-hegy timkő bányáit és 10 km-nél hosszabban elterülő szőlőit az első tatárjárás után szász telepesek kezdték művelni. Szőlője mellett a malomkő bányászatáról és készítéséről volt híres. Hajdan a falu két részből állt.

Kismuzsaly egyetlen fennmaradt emléke egy gyönyörű templomrom. **227** Alapítója Nagy Lajos király édesanyja, Erzsébet lehetett a XIV. században. Gótikus stílusban épült, de román kori elemeket is tartalmaz. Egyedülálló volt a tízszögnek öt oldalával záródó szentélye. Párkányzatos, csúcsíves kapuja **226** fölött négylevelű rózsa díszíti a homlokfalat. A települést 1566-ban a tatárok, 1657-ben pedig a

22

lengyelek teljesen elpusztították. A megrettent lakosok egy része a hegyekbe menekült, és bányaüregekben rejtőzött el. Az egyik ilyen üregben az Endrőd völgyén 1831-ben csontvázakat találtak. Az üreg bejáratánál férfi feküdt, jobbjában karddal. A többiek, főleg nők, fekvő és ülő helyzetben voltak. Egy kőpadon ülő nőtetemet egy mellette térdeplő férfi mindkét karjával átölelve tartott, a nő karjában egy gyermekcsontváz feküdt. A bejáratnál kénkődarabokat találtak a régészek, amiből arra lehet következtetni, hogy az 50 bennszorult embert kéngázzal fojtották meg.

Nagymuzsaly késő gótikus református templomának szentélye csillagboltozatú, a hálóboltozatú hajóval azonos szélességű. Mellette szoknyás és galériás harangtorony áll. **228**

A honfoglaláskor őseink Kárpátalja területén két földvárat találtak, az „Ösungvárt" és Borsova várát. Szent István király mindkettőt megyeszékhelyévé tette. Az avar időkből származó Borsova földvár magyar nevét első ispánjáról, Borsról kapta. Fő erőssége a Tisza, a Borzsa és a torkolat körül elterülő mocsaras-lápos vidék volt. A kunok Szent László idejében nem tudták elfoglalni, de az első tatárdúláskor elpusztult. Nyomai fellelhetők Vári temetőjében. Vári református templomának tornyáról a helybéliek azt mesélték, hogy a hajdani vár őrtornya. **232** Valószínű, hogy a torony egy Árpád-kori római katolikus templom része volt. Befalazott egykori főbejárata fölött tábla emlékezteti a látogatókat arra, hogy Vári népe elsőként csatlakozott Rákóczi kurucaihoz. **230** A templom mai alakját 1795-ben nyerte. Évszázados toronyórája most is magyar idő szerint jár. A környező falvakban szép házakat lehet látni **229, 231**

230

231

Badaló Tisza-parti falu, lakóinak büszkesége, hogy Petőfi Sándor 1847. július 13-án fiatornyos református templomuk mellett pihent meg.**223**

Alsóremete a hagyomány szerint azért kapta a nevét, mert a XI. században Salamon király itt tartózkodott mint bűnbánó remete. Később Nagy Lajos király édesanyja, Erzsébet királyné pálos kolostort alapított itt, és a helyet Kisberegnek hívta. **235**

A Salánkig terjedő Beregi erdő és a Szernye mocsár **242** között, a Beregszászi-hegyek északi nyúlványán fekszik Nagybereg. Az első tatárjárás előtt is magyarlakta település, de jelentősége csak 1241 után nőtt meg, amikor Borsova vármegye székhelye lett. Ezután építettek a mezővárosban várat is, majd a megyét Bereg vármegyének nevezték el. A most felújított templom 1405-ben már állt. **234, 236** 1554 óta reformátusok a városka lakói.

233

Országszerte nevezetes a beregi szőttes. A jellegzetes piros és kék mintájú textíliákat faszövőszéken készítik a helybéli asszonyok. Hagyományőrző tevékenységük termékei díszítik otthonaikat, templomukat, éttermüket, de elkerülnek a világ távoli pontjaira is. **237, 238, 239, 240, 241**

237

238

A kisberegi pálos kolostor egyik kis harangja a szomszédos Kígyóson a református templom harangtornyában található, rajta a felirat: „Sanctus Paulus, ora pro nobis!". **243** A XIII–XIV. századi kőtemplom mellett egykor kolostor állt. A falu népe 1590-ben már református volt. A templomdomb előtti síkot Királytáborának nevezik, mert a hagyomány szerint II. András itt táborozott. **244**

Kígyósról Beregszászba vitt utunk. A város az őskor óta lakott hely. Az Árpádok idején a táj vadban gazdag, erdős volt, ezért elsősorban vadászok és solymászok éltek itt. Akkor még Lambertházának nevezték I. Béla király fiáról, aki a vidék birtokosa volt. 1141-ben a kunok elpusztították és a kihalt házakat az állandóan kiáradó Rajna torkolatvidékéről szászokkal népesítették be, majd a tatárjárás után újra. A szászok honosították meg a szőlőt, és ők kezdtek el bányászni is. A város Nagy Lajos király korában felvirágzott, de az 1566-os tatárjárás után kb. 400 ház maradt üresen, csak 48 házban élt valaki. A XIII. században a római katolikusok mindenszentek tiszteletére építettek templomot. **245** 1657-ben a lengyelek a várossal együtt felégették, majd 1686-ban a kurucok gyújtották a labancokra. 1837-ig fedetlen maradt, akkor ismét újjáépítették, igen tágasra. A görög katolikus templomot 1825-ben emelték a régi fatemplom helyén. **246, 247** Ebben a városban szinte mindenki magyarul beszél.

Beregszásszal egybeépült Beregardó, melynek középkori templomán lőrésszerű, keskeny ablakok láthatók ma is. Az elmúlt években ateista múzeummá alakították át ezt a református templomot. **248**

Beregdéda egyhajós református templomát a XIII. században egyenes záródású szentéllyel építették, támpillérekkel erősítették. Középkori megyegyűlések helye volt. **249**

Nagybégány magyar falu. Gótikus temploma – mely már 1636-tól református volt – a XVIII. században vált rommá, de újjáépítették. **250** Nagy harangjára büszkék a helybeliek.

Mezőkaszony védőszentjéről, „Kata-asszonyról" kapta nevét. Az ősi mezőváros egyik nevezetessége, hogy Szent László király itt győzte le a kunokat 1086-ban. A csata helyén kápolna, majd a XIII. században római katolikus templom épült. **251** Bocskai István a reformáció után felkarolta a várost. Miklós-napi vásárai és jó bora miatt kedvelt hely volt.

248

249

250

Tovább követve a Tiszát az alföldi tájon, utunk végéhez közeledve egy Árpád-kori településre, Szürtére érkeztünk. Régi református templomának külső homlokzatát a Szürthey család egyik tagjának márvány sírköve ékesíti. **253, 254**

Utunk végén Palágykomorócon jártunk. Gyönyörű, tipikus XIII. századi kegyúri karzatos református temploma román kori szentéllyel a Magyarországon levő csarodai templomhoz hasonló. **252, 255**

252

II. Rákóczi Ferenc száműzetésben halt meg. Kívánsága szerint másodszor magyar földön temették el Kassán. Ma mégsem nyugszik hazájában. Kárpátalja magyarjai és ruténjei, „Rákóczi népe" mindig áhítoztak a szabadságra, sokat véreztek érte. Nem értették, ma sem értik, hogy milyen nagyhatalmi sakktáblán, miféle cél érdekében lökdösik őket. Csak azt érzik, hogy kiszolgáltatott sakkfigurák. Látják viszont a magyar tévé adásában is, hogy a gorbacsovi kezdeményezések milyen fejlődést indítottak el Kelet-Európában. Lassan oldódnak félelmeik, és megpróbálnak bizakodva nézni jövőjük felé.